손 끝으로 느끼는

백제의 숨결 2권

baekjemuseum.seoul.go.kr

발간등록번호 51-6113103-000005-01

ISBN 978-89-969903-3-8

인사말

안녕하십니까. 서울시장 박원순입니다. 우리의 수도 서울은 2천 년 전 백제의 첫 도읍으로서 5백년간 <고대왕국, 백제>가 번성한 곳입니다. 그래서 풍납토성, 몽촌토성, 석촌동고분군 등 빛나는 문화유산을 많이 품고 있습니다. 그 역사와 문화를 늦었지만 잘 보존하고 보다 잘 후손에게 전승하기 위하여 우리 서울시는 지난 2012년 4월 30일 한성백제박물관을 개관했습니다.

한성백제박물관에서 각종 전시물을 통해 만나는 백제는 다양한 사람들이 어우러지며 국력을 키우고 기술과 문화를 발전시킨 멋지고 역동적인 나라입니다. 부여, 고구려, 낙랑, 대방, 마한, 왜 등 여러 지역과 나라를 떠나 백제 땅에 들어온 사람들이 백제라는 하나의 깃발 아래에서 같은 꿈을 꾸며 함께 어우러졌던 것입니다.

그동안 우리의 박물관은 눈으로 감상하는 방법에만 익숙했습니다. 그러나 서울시는 우리가 살아가는 도시 자체를 역사가 살아 숨 쉬는 박물관으로 만들고자 다양한 방법으로 노력하고 있습니다. 그리고 그 기초가 되는 조건은 누구라도 이러한 박물관을, 서울을 누릴 수 있어야 한다는 점입니다. 몸이 불편하신 분들도 다양한 방법으로 서울의 역사를 느끼고 즐길 수 있어야 합니다. 그것이 더 많은 분께 새로운 의미의 힘이 될 것입니다.

이를 위해 한성백제박물관에서는 이번에 촉각도록을 만들었습니다. 국내 시각장애인 24만 명이 서울의 고대 역사·문화를 즐기는 작은 기회가 되었으면 좋겠습니다. 그리고 이 촉각도록이 「함께 만드는 서울」, 「함께 누리는 서울」의 문화 복지 확대의 작지만 큰 시작이 되기를 희망합니다.

2013. 2.

서울특별시장 **박원순**

발간사

한성백제박물관은 서울이 삼국시대 백제역사 678년 중 493년 동안 수도였음을 기억하고 배우고자 설립한 박물관입니다. 그래서 백제 궁궐이 있었던 풍납토성과 몽촌토성, 왕과 귀족들의 무덤이 즐비했던 석촌동고분군을 중심으로 백제의 왕도역사를 소개하고 서울과 한강유역의 선사~고대 문화를 쉽고 재미있게 설명하고 있습니다.

한성백제박물관 로비의 한쪽 벽면에는 거대한 풍납토성 성벽 일부를 그대로 옮겨 놓았습니다. 제1전시실에서는 서울의 구석기시대부터 청동기시대까지 각종 유적과 유물을 모형, 그림과 함께 소개하고 있습니다. 제2전시실은 백제 한성도읍기의 역사·문화를 주제별로 다루었습니다. 왕도 한성의 풍경을 옛 지형에 맞춰 축소모형으로 복원하였으며, 왕실의 동명사당 일부를 실물 크기로 만들어 만져볼 수 있게 했습니다. 백제사람의 집안 생활모습과 외국을 오가던 백제 배도 전문가의 엄격한 고증을 거쳐 실제 크기대로 재현하였습니다. 제3전시실에는 백제의 웅진·사비 도읍시대의 유물과 같은 시기에 서울을 차지한 고구려, 신라의 유물을 전시하였습니다.

한성백제박물관에서는 시각장애인의 박물관 전시감상을 위해 음성안내시스템을 서비스하고 있습니다. 그리고 이번에는 촉감으로 전시내용을 설명하는 촉각도록과 팝업카드를 만들었습니다. 모두 한성백제박물관에서 전시하는 백제의 대표 유물과 그에 얽힌 이야기들을 담았습니다. 아무쪼록 이 책이 서울의 백제유적과 그 의미를 서울 시민과 모든 국민에게 고루 알리는 계기가 되길 바라며, 문화복지 확장을 위해 애쓰는 직원 여러분께 감사드립니다.

2013. 2.

한성백제박물관장 **이인숙**

백제의 숨결

화려한 장식

백제사람들은 신분에 따라 각기 다른 모자를 썼다. 왕과 귀족은 금이나 금동으로 만든 관모를 사용하였다. 백제의 관모는 이마를 가리지 않고 고깔처럼 정수리에 얹어서 썼다. 사진 속 금동관모는 머리에 얹는 반타원형 판과 그 앞뒤에 붙인 장식으로 구성되어 있다. 반타원형 판에는 꽃과 용 문양을 뚫어서 새겼으며, 꼭대기에 반원형의 달개를 달았다. 앞쪽에 붙인 장식은 새가 날개를 펼친 모습이며, 뒤쪽의 장식은 새가 꼬리를 세우고 부채처럼 펼친 모습을 닮았다. 타원형 판의 양쪽 아래 끝부분에는 구멍을 뚫어 놓아 관모를 머리에 쓸 때 끈을 묶을 수 있도록 하였다.

금동관모

옆면

앞면

옆면

뒷면

재료 금동

높이 23.8 cm

출토장소 공주 수촌리 II-1호 토광묘

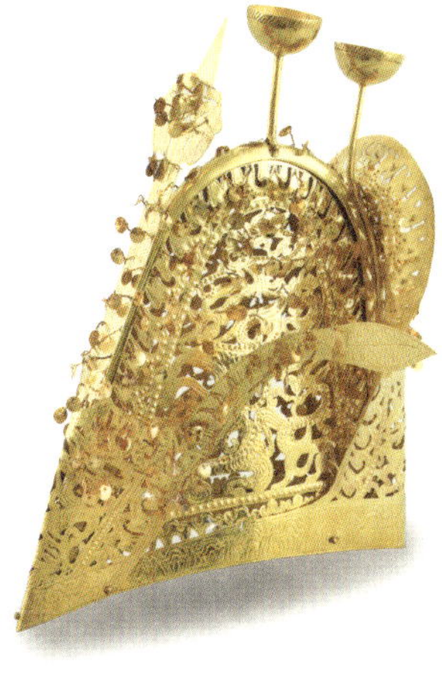

백제사람들도 고구려, 신라, 가야와 마찬가지로 귀걸이를 즐겨 썼다. 귀걸이는 북방 유목민족의 문화적 전통이다. 귀걸이는 금이나 금동으로 만들었으며, 고리만 있는 것과 고리 아래에 달개장식이 있는 것으로 나뉘는데, 고리만 있는 것보다 장식이 달린 것일수록 신분이 높은 사람들이 사용하였다. 귀걸이 모양은 나라마다 조금씩 달랐다. 고리가 두꺼운 것도 있고 가는 것도 있는데, 백제사람들은 가는 것만 사용하였다. 고리 아래의 장식은 중간 장식과 끝장식으로 나뉜다. 백제사람들은 흔히 중간 장식을 원으로 된 공 또는 원통 모양으로 만들고 끝장식은 원이나 열쇠모양으로 만들었다.

귀걸이

정면

재료 금

높이 4cm

출토장소 공주 수촌리 II-1호 토광묘

백제사람들은 허리띠로도 계급을 나타냈다. 왕이나 귀족처럼 신분이 높은 사람들은 허리띠에 금속으로 만든 꾸미개를 붙였다. 사진 속 꾸미개는 가죽으로 만든 허리띠 중간 중간에 붙인 금속판이다. 금속판은 금, 금동, 은, 철 등으로 만들었으며 무늬는 짐승얼굴무늬, 용무늬, 잎사귀무늬 등이 있다. 네모난 금동 판의 한 쪽을 곡선으로 만들고 작은 리벳 7개를 좌우 각 3개, 위 중앙에 1개를 박아 허리띠에 고정하였다. 중앙에 도깨비 얼굴처럼 생긴 문양을 도드라지게 새겼는데, 부릅뜬 두 눈 위에서 뻗어 나온 뿔이 귀 옆까지 솟아있고 코는 돼지 코처럼 들창코이다. 으르렁거리듯 이를 악물고 입을 벌린 상태이며 얼굴 전면에는 털이 나있다.

허리띠장식

앞면

짐승얼굴무늬

재료 금동

지름 3cm

출토장소 공주 수촌리 II-1호 토광묘

고대에 신분이 높은 사람들의 허리띠 앞부분을 장식하는 것으로서 허리띠를 고정하는 데 쓴다. 청동으로 만들었으며 말모양, 호랑이모양 등이 있다. 말모양 허리띠장식은 당당하게 서있는 말을 옆에서 본 모습이다. 목덜미에 갈퀴가 있으며 짧은 꼬리는 위로 들려 있다. 목에는 톱날무늬가 있고 몸통에 선으로 안장 등의 장식을 표현하였다. 앞가슴에서 뻗어 나온 갈고리는 허리띠의 가죽 구멍에 고정하는 장치이다. 호랑이모양 허리띠장식은 머리를 들고 허리를 쭉 뻗어 배를 바닥에 댄 채 앉아있는 모습이다. 길게 뻗어나간 꼬리는 원을 그리듯 되돌아와 엉덩이에 붙어 있으며, 앞가슴에서 두툼하게 뻗어 나온 갈고리는 허리띠의 가죽 구멍에 고정하는 장치인데 마치 왼쪽 앞발을 길게 내뻗은 모습처럼 보이기도 한다.

말모양, 호랑이모양 허리띠장식

말모양

호랑이모양

재료	청동
가로	호랑이 12.1cm / 말 9.8cm

백제 귀족무덤에서는 종종 금동으로 만든 신발이 출토된다. 죽은 사람을 무덤에 묻을 때 발에 신겼던 신발이다. 금동신발은 백제, 고구려, 신라에서 모두 출토되지만, 만드는 방법은 나라마다 조금씩 달랐다.

백제의 금동신발은 발등까지 덮는 옆판 두매와 바닥판 한매를 금동리벳이나 금동실로 고정해 만들었다. 옆판과 바닥판에는 문양을 뚫어 장식했다. 사진 속 금동신발의 옆판에는 영어의 T자 문양, 바닥판에는 마름모꼴 문양이 뚫려 있으며 바닥에 금동 못 9개가 박혀있다. 일본에서 출토되는 금동신발도 백제 금동신발과 비슷해 백제의 영향을 받았음을 알 수 있다.

금동신발

옆면

바닥면

윗면

재료 금동

높이 29.5cm

출토장소 공주 수촌리 II-1호 토광묘

백제는 중국으로부터 고급물품을 수입하였다. 그 중 청동초두는 술, 물 등의 액체를 끓이거나 데울 때 사용한 금속 그릇이다. 청동초두는 몸통, 손잡이, 그리고 세 개의 발로 이루어져 있다. 몸통은 바닥이 넓적하고 둥글며 아가리는 밖으로 넓게 벌어졌다. 손잡이는 몸통 위쪽에 S자 모양으로 휘어진 채 붙어있는데, 손잡이 끝에는 용머리를 조각해 위용을 한층 더하였다. 몸통 바닥 모서리에는 일정간격으로 다리 3개가 붙어있는데 마치 말이 기지개를 펴듯 바깥쪽을 향해 뻗치고 선 모습이다.

청동초두

옆면

윗면

재료	청동
높이	21.7cm
출토장소	풍납토성

고리자루 큰칼은 손잡이 끝에 둥근 고리를 붙이고 고리 안에 용, 봉황, 잎사귀 등을 조각한 긴 칼을 말한다. 왕이나 귀족처럼 신분이 높은 사람들만 사용하였다. 사진 속 고리자루 큰칼은 무덤에서 출토될 때 나무로 만든 칼집이 썩어 없어지고 칼집의 끝부분에 붙인 금·은 장식만 남은 상태였다. 손잡이 끝부분에 동그란 고리가 있고 고리부분에 장식이 있는 것과 없는 것 2가지로 나뉜다. 사진 속 칼은 손잡이까지 금이나 은으로 문양을 새겨 화려하게 장식하였다.

고리자루 큰 칼(환두대도)

정면

봉황모양

용모양

재료 철

길이 81~84cm

출토장소 천안 용원리 석관묘

백제가 중국에서 수입한 도자기 중 하나이다. 차나 술을 마실 때 이용하였으며 그릇 표면에 발라진 유약은 갈색을 띤다.
몸통은 둥글고 바닥은 평평하며 목은 가늘다. 아가리는 옆으로 넓게 벌어지다가 끝이 위로 곧게 선 형태이다. 몸통 어깨 부위에 주전자의 물이 나오는 곳을 닭머리로 만들어서 물이 닭의 입에서 흘러나오게 하였다. 아가리와 몸통 어깨를 연결한 손잡이는 귀의 윤곽처럼 생겼으며, 손잡이와 닭머리 모양 주구 사이에 구멍이 뚫린 꼭지가 2개 붙어 있다.

닭모양 항아리

옆면

닭머리모양

재료 흙

높이 23cm

출토장소 공주 수촌리 II-4호 석실분

웅진도읍기에 무령왕(501-523)과 왕비가 썼던 관 장식이다. 웅진도읍기의 관모는 한성도읍기의 일체형 관모와 달리 모자와 장식이 분리되는 분리형이다. 모자도 금속이 아닌 천 또는 가죽으로 만들었을 가능성이 높으며 관식은 모자의 옆에 꽂아 사용하였다. 무령왕과 왕비가 쓰던 관식은 불꽃이 하늘로 향하는 듯 가는 선이 하단 중심부에서 여러 가닥으로 나뉘며 점차 넓게 퍼지다가 중간지점부터는 위로 올라갈수록 꽃봉오리처럼 오므라드는 모양이다. 무령왕의 관식에는 중간 중간에 꽃이 있고 꽃에 영락을 달았으며, 왕비 관식은 아래쪽의 반타원형과 위쪽의 불꽃으로 구분된다.

정면

재료 금

길이 임금 30.7cm

출토장소 무령왕릉

일본 도다이지(절이름)의 쇼소인(창고이름)에 백제왕의 선물이라고 전해지는 바둑판 세트가 있다. 바둑판과 바둑판 함, 바둑알과 바둑알통으로 이루어져 있으며, 모두 금·은·상아·옥돌·자단목 등 고급 소재로 화려하게 만든 작품이다. 자줏빛 자단목에 상아와 각종 안료로 선과 문양을 그려 넣었는데, 낙타·나무·꽃·새 등의 모자이크 그림이 있다. 일본 세이무 천황이 이 바둑판을 즐겨 사용했다고 한다. 바둑판 함은 금박, 은박으로 거북등무늬를 장식하였고, 바둑돌은 상아와 옥돌로 붉은색·감색·흰색·검은색 등 4가지를 만들었다. 바둑알통은 얇은 나무 판에 검은 옻칠을 하고 은으로 당초무늬와 새 등의 동물을 새겨 넣었다.

바둑판

윗면

코끼리모양

새모양

너비 49cm, 높이 13cm, 무게 4kg

보관장소 일본 쇼소인(正倉院)

나무로 만든 불상으로서, 국립중앙박물관의 국보 제83호 금동미륵보살반가상과 쌍둥이처럼 닮았다. 머리에는 3면의 둥근 산 모양의 관을 쓰고, 상체는 벌거벗었으며 앞으로 약간 숙인 상태에서 왼손을 오른 발목 위에 감싸듯이 살짝 올려놓았다. 오른손은 팔꿈치를 오른쪽 무릎에 붙이고 손가락을 오른 뺨에 닿을 듯 말 듯 길게 편 모습이다. 하체는 허리춤부터 발목까지 오는 얇은 치마를 입고 있으며 오른쪽 다리를 들어서 왼쪽 허벅지 위에 발목을 걸쳐놓았는데, 발가락은 아래로 향하고 발바닥은 위로 비스듬히 하늘을 향하고 있다.

목조미륵반가사유상

옆면

얼굴

재료 적송(단단하고 붉은 빛이 도는 소나무)

앉은키 높이 83cm, 연꽃무늬 대좌까지 합한 높이 123.5cm

보관장소 일본 고류지[廣隆寺]

양직공도는 중국 양나라의 원제(552~554)가 왕위에 오르기 전 양나라에 온 백제·왜 등 외국사신들의 모습을 그림으로 그리고 그 나라에 대해 설명한 두루마리 화첩이다. 원래 그림 속 외국사신은 25명 이상이었으나, 지금은 1077년 북송에서 원본을 베껴 그린 12개국 사신에 관한 부분만 중국 북경의 국가박물관에 남아 있다. 그림 속 백제사신은 가늘고 길게 째진 눈매에 낮고 넓은 콧방울, 작지만 붉은 입술, 오동통한 볼이 특징이다. 머리에 흰색 관을 쓰고 두루마기와 바지를 입었으며, 검은색 가죽신을 신었다. 이 그림은 백제사람의 구체적인 모습을 담은 유일한 자료이다.

양직공도 속 백제사신

정면

얼굴

높이 25cm, 가로 길이 192cm

보관장소 중국 국가박물관

총괄 이인숙

기획 김기섭, 이경자, 이호창

진행 김기섭, 이경자, 김지미, (사)생활환경디자인연구소

원고·편집 김기섭, 이경자, 이지민

발행인 이인숙

발행일 2013년 2월

발행처 한성백제박물관
138-829 서울특별시 송파구 위례성대로 71

Tel. 02. 2152. 5800

Fax. 02. 2152. 5967

디자인 미디엄

인쇄 예영사